KB171621

지나온 반 년

지나온 반 년 : 2023의 겨울부터, 2024의 5월까지.

발 행 | 2024년 05월 23일
저 자 | 이재승 (nameless_129)
펴낸이 | 한건희
펴낸곳 | 주식회사 부크크
출판사등록 | 2014.07.15.(제2014-16호)
주 소 | 서울특별시 금천구 가산디지털1로 119 SK트윈타워 A동 305호
전 화 | 1670-8316
이메일 | info@bookk.co.kr

ISBN | 979-11-410-8580-3

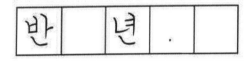

이재송 시집

지나온 겨울. 지나온 반 년.
어느새 나를 앞질러 가는 시간과.
어느새 나로부터 한참 뒤쳐진.
1월 1일과. 1분기.

2학년의 마지막 반년과.
본격적인 시작의 막을 알리는
나의 첫 분기를.
그리고. 달려오며 들었던
나의 오만가지 생각과 감정을.
꾹꾹 눌러 담아
이 글 속에.

마주하고 싶지 않아도.
정리해야만 하는.
그럼으로써 마주해야만 하는.
마음 속 나의
외침과 고뇌를.
좌절과 기쁨을.
그리고 하염없이 바라보고 있는
나를.

이 책을 통해.
그리고
이 시를 통해.

〈 목 차 〉

2학년의
마지막 기록들.

〈소망〉

만날 수 없는 수많은 사람들과
인연을 맺게 해주는

잡을 수 없는 수많은 손들을
이윽고 붙잡게 해주는

그런. 소소하고도 편안한.
거창하진 않아도. 따뜻한.

나는 그런. 이야기를
써내려가고 싶다.

〈경호천〉

비는 계속해 쏟아지고
수많은 우산들은 거리 위를
젖은 아스팔트는 한결같이
그 자리를 지키고. 그 자리를 떠나겠지.

하늘이 한숨을 내쉬는 동안
누군가는 하늘에서 안식하고
누군가는 하늘에서 발걸음을 떼겠지.
누군가는 하늘에서 발을 헛디뎠을 것이다.

하지만 그럼에도
경호천아. 너는 흐르는구나
여느 때와 다름없이. 그저
너의 숨결을 내어 쉬며.

〈비〉

무릎 꿇어라.
금방 그칠 줄 알았던 비는
여전히 머리를 적시고.
생명력 가득 머금은 대지는
넘치는 생명을 흘려보내기 시작했으니.
바람과 대지와 하늘과 물과
생명과 의지와 인간과 나는
어디로 도망갈 수 있을 것이며
어디로 향할 수 있겠는가.

그러니 꿇어라. 그대의 무릎을.
벗어날 수 없는 생명의 늪에서
잠겨가는 너의 다리를
애써 움직이지 마라.
오르어야 하는 그 사다리에
손 내밀지 말고
가만히. 그저 그곳에서
온몸에 차오르는 생명력을
전신으로 맞이하라.

〈가로등〉

달자국이 선명히 보이는 날이 있다.

도로에 달이 차례차례 나열된 날이 있다.

카메라에 담고자 했던
수많은 수정들은
담고자 한 상 속에 빛을 번지고

그 눈을 감고 바라보자 한
수많은 구슬들은
바라보자 한 눈 속에
선명한 아웃라인을 그린다.

머리 위에 오른 작은 공에
머리에 올린 그 큰 공의 빛깔이
흩뿌려져 번져 나간다.

어느덧 카메라에 맺힌 수정의 상처럼
망막에 맺힌 구슬의 상도
빛을 번진다.

달자국이 번져 보이는 날이 있다.

도로에 달이 이어져 빛나는 날이 있다.

〈기억 속의 별〉

하늘을 문득 올려다보면
머리 위에 수많은 별들이 보이곤 했다.
나는 그 별빛들을
눈 속에, 귓속에, 마음속에, 품고는,
한층 밝아오는 나의 몸은
오늘의 별을, 밤을, 기억한 채
내일의 별과, 밤과, 함께
점점 흐려져 가곤 했다.
책장 한 구석에
먼지만 소복이,
기억 속에서 사라져버린
그 책갈피 한 장.

지금은 잊혀진
수많은 별들.
별은, 빛을 잃은 채
제자리만 지키고 있지만
우연히 눈에 들어온 그 책.
사이에 든 책갈피가
우수수, 떨어지며
다시금 밝아온
수많은 별들.

불은. 다시 흐려져만 가겠지.
금세 지나가는
저 유성 하나처럼
너도 나와 같이.
기억 속의 조각 하나로만 사라져가겠지.

하지만 너는. 다시 밝아와가겠지.
약속처럼 다시 돌아온
저 혜성 하나처럼
너와 나의 만남은
잠깐 들어온 저 가로등의 불빛처럼
우리도 모르게 다시 찾아와.
우리도 모르게 다시 사라져가겠지.

다시 찾아올
또 다른 날의 빛을 기약하며.

〈사랑은 무엇이기에〉

사랑은 무엇이기에,
사람은 사랑을 위해
기꺼이 자신의 수명을 바치는가?

사랑은 무엇이기에,
사람은 사랑을 위해
기꺼이 망각을 선택하는가?

사랑은 무엇이기에,
사람은 사랑을 위해
기꺼이 제 생을 포기하는가?

사랑은 무엇이기에,
사람은 사랑을 향해
기꺼이 모든 마음을 전하는 걸까?

사랑은, 무엇이기에
그것이 대체 뭐라고.

〈종말, 그 이후의 이야기를〉

절망을 갈망하는
사람의 심리는 무엇일까

바라보는 글들은
하나같이 세상의 끝을 바라보며

그 위에 황폐해진 집과
그 안에 피폐해진 내가

황금빛 하늘을 바라보며
지평선을 두고 대조되는 땅에 한숨 내쉬며

사투를, 살아남고자 벌이는
그 미약한 움직임을.

사람들은 왜 바라볼까
사람들은 왜 감상할까

나를 피폐하게 만드는 이 현재에서
저들을 보고 연명의 의지를 얻고자 하는 것일까

아니면 현재의 끝에 분명히 존재할
그 절망을 미리 느껴 무뎌지고자 하는 것일까

〈 〉

시가 이리 단조로이 쓰이는 것은
내가 살아가는 일상이
단조롭기 때문인걸까

새로이 떠오르는 시상도 없이
매번 같은 대상에서,
매번 같은 감정을 느낀다.

해가 두 번째 넘어가고 있지만, 손 끝에 쥔 것은
언제나 같은 주제, 같은 어조의
같은 느낌의 시만이.
새로움이 없이, 늘 단조로운.
티끌 하나조차도 다름없는.

시가 이리 단조로이 쓰이는 것은
내가 너무
단조롭기 때문인걸까

〈노을진 강〉

그 끝에 있던 생명은
마지막에 붉게 타올랐을까

실 끝에 찾아온 황혼에
끊어진 단면은 다시 하나가 되겠지

찾아온 일출에
너는 점점 흐려져가고

멈추었던 강은
다시 흐르기 시작한다

남아버린 잔상에
나는 다시 괴로워하겠지만

언젠가 찾아올 황혼에
찬란함을 기약하며, 나는 돌아간다

불타오를 나의 실이
붉기를 기약하며, 나는 살아간다

〈손〉

손 위에 올려진 것은 수많이.
당장 내려놓아야 할 것과.
곧 내려놓아야 할 것.
아직 내려놓지 않아야 할 것과.
곧 내려놓게 될 것.

무수한 것들이 손 위를 거쳐가고.
그렇게 한 번을 거쳐가고. 두 번을 거쳐가고.
아홉 번을 거쳐가고. 이윽고 일곱 번이 되었을 때.
손 위에 거쳐가는 것은
0에 수렴했다.

그가 항상 입에 담던 말이 있었다.
짐 없이 가벼운 사람이
행복한 사람이란 말이 있었다.
아무 소음 없이
고요한 곳에서 살고프다는 말이 있었다.
그의 말대로
그의 이상향으로 향하게 된 날이 있었다.

손 위에 짐이 없으니.
가벼운 건 당연지사다.
아무 소음 없으니.
고요한 건 당연지사다.
그 이상향이 그가 꿈꾸던 일이란 것은.
모두가 알 처사이다.
그 이상이 잘못됨을 깨닫는 것 역시.
모두가 알 처사이다.

손 위에 거치는 게 없어.
나는 외로움과 인사한다.
느껴지는 무거움이 없어.
나는 공허감과 인사한다.
들려오는 소리가 없어.
나는 적막함과 인사한다.

그렇게 파고들어간 내면에는
수없이 많은 시간을 잠들어온 회의는 깨어난다.
수없이 많은 시간을 침묵해온 허무는 깨어난다.
수없이 많은 시간을 가려져온 자아는 깨어난다.

〈17번째의 회고〉

나도 모르게 한 걸음을 뛰어넘은 적이 있었다.
한 걸음 안에서 나는
닭 중에서 유난히 목이 긴 닭이었고,
학 중에서 유난히 목이 짧은 학이었다.

1년 일찍 맞는 삶은
그것 나름대로 새로운 삶이었다.
남들이 누리는 것을,
나는 1년 일찍 누린다.
남들이 누리는 것을,
나는 1년 늦게 누린다.

부당함을 느끼기도,
우월함을 느끼기도 하지만
이 모든 것은 내가
한 걸음을 먼저 내딛은 탓이리라.

어린 날의 책임을 느끼는 것도,
어린 날의 선택을 느끼는 것도,
벌써 17년째.

아직 머리는 그때의 답을 내놓지 못하고 있다.
그리고 그 앞에 내 마음은
채워진 것 없이 공허하기만 하다.

과도기가
남긴
흔적들.

〈사회〉

누군가는 죽은 이상을 바라보고

누군가는 외면받는 길을 향해 발을 내딛고

누군가는 불특정한 그 손을 잡고

누군가는 그저 가만히 앉아 관망하고

누군가는 강 건너 일들에 비웃음 보내고

누군가는 그 무엇에도 눈길 없이 뒤만 바라보고

누군가는 자신의 발밑을 파 내려가고

누군가를 그런 남의 밑을 묻어버리고

누군가는 방 안에서 목소리만 내고

누군가는 묵묵히 자신이 해야 할 일을 다 하고

누군가는

〈소화기〉

마음속은 항상
응어리져 있다.
이미 한 번 부서진 마음은
고운 가루가 되고
다시 뭉쳐 너는 나를
무겁게 짓누르고 있구나

무겁게 짓누르고 있구나. 팔을.
무겁게 짓누르고 있구나. 발을.
무겁게 짓눌린 몸은 움직여
조금 이동해 지쳐버린지 오래.
일어나지 못하는 나는
다가가고 싶어도 그러질 못하고
구석에 가만히 놓여. 나는
먼지를 먹으며 응어리를 키워간다.

언젠가는. 이 응어리를 토해내겠지.
언젠가는. 나도 소화기처럼
속에 가득 담긴 이 응어리를
가루 내어 뱉어내겠지. 나의 불을 향해.

참으려하면 울렁이는 속을. 짓누르고.
인내의 끝에 다가올. 나의 불을 위해.
참는다. 지금의 응어리를.

〈졸업식, 그리고 입학식〉

부럽다

나도 저 화면에 당당히 보이고 싶다.
나도 내 이름이 당당히 불리고 싶다.
나도 꼿꼿하게 단상 위에 서서
악수를 받고, 꽃을 들고, 서서
수많은 사람들을 바라보고 싶다.

어디에 서도, 누구 앞에 서도,
어디에 내놓아도, 누구 옆에 서더라도,
부끄럼 없는 사람이 되고 싶다, 나에게.
부끄럽지 않은 사람이 되고 싶다, 그들에게.

〈100일의 다짐〉

누구 옆에 서도 주눅들지 않는.
누구 옆에 서도 폄하받지 않는.
누구 옆에 서도 자괴하지 않는.
그런 사람이 되리라 다짐한지.

100일.

나는
그런 사람이 되었을까.
자책하다 보낸 날이
다시.

100일.

그렇게. 다시
원점으로.

〈타인의 삶〉

차라리 네가 되었으면 좋겠다.
너의 시선으로, 날 바라보고
너의 귀로, 날 들으면
좀 더 너에게 어울리는 사람이 될 텐데.
좀 더 네가 부끄러워하지 않을 사람이 될 텐데.
네가 되는 것은 어찌나 힘든지,
나는 도저히 나를 바라볼 수 없다.
수없이 바라왔을지라도,
기회는 주어지지 않는다.
어쩌면 네 옆에 선다는 것이
원래부터 이루어지지 않았을
헛된 소망이었던 걸까.
나의 간절한 바람이 만들어낸
헛된 속삭임일 뿐이었던 걸까.

〈좋은 사람들〉

나에게 과분한 사람들이다.
바구니를 내려
나와 맞닿아주고. 교류해주고.
때론 인사를 건네주고. 선물을 건네주고.
받을 것은 받고. 줄 것은 주며
서로가 서로에게
도움이 되어가는 사이.
그렇게. 나 혼자 만족하는 사이.
어느새 서로 멀어져만 가는 사이.

그제서야 나는
내가 우물 바닥에 있었음을 깨닫는다.
그리고. 우물 밖 그들이
내게 내밀어주었던 손길이
얼마나 따스했고.
지금의 사이가 얼마나 냉랭한지를
이미 멀어진 사이가 되어서야
나는 깨닫는다.

그들이 내게 보여준 태도의 의미를.
그들이 내게 얼마나 과분한 사람들인지를.
언제. 어떻게든. 다시 생각해보아도.

그들은
나에게 과분한 사람들이다-

⟨희미한 거울⟩

마음이 어지러워 고개를 돌려본다.
고개 돌린 시선의 끝에
하늘을 바라본다.
당장에 손에 닿을 듯이 일렁이는 구름에는
선명한 그 벽의 자국을 볼 수 있다.

태양이 비칠 때 그 빛을 머금는다.
비가 내릴 때 그 물을 담아낸다.
바람이 불 때 그 흐름을 흘려낸다.
벽이 겪어온 모든 세월이
바라보고 있는 지금의 나에게 투영된다.

나는 벽을 응시한다.
어루만지고. 귀를 맞대고. 입술을 겹쳐
뜨거운 내 영혼을 벽에게 불어넣는다.
바라보고 있는 벽 너머의 희미한 존재에게
나의 세월을 투영시킨다.

나와 존재는 손을 맞잡는다.
맞닿은 손. 그 틈 사이로
서로가 서로에게 서로를 전달한다.
손을 떼어 얼룩진 손때 자국. 그 너머로
나는 흐릿한 나의 초상을 기억한다.

〈불면증〉

잠이 오지 않아
집어든 알약 하나.
정신은 암전.
일어나보니 세상은 밝게.

정신은 여전히 몽롱해
다시 집어든 알약 하나.
정신은 암전.
일어나보니 세상은 더욱 더 밝게.

드디어 맑아진 정신에
매일 집어든 알약 하나.
꿈을 꿀 새도 없이
일어나보니 세상은 밝게.

그렇게 나는
안녕을 고했다.
나의 모든 꿈과
나의 모든 불면에게.
나를 매일 괴롭히던
두 명의 친구들에게.

〈튼 입술〉

붉게 텄다가 다시 메말라붙은
입술 위의 상처.

아문 듯 보이지만.
건드리면 다시 아파오는
입술 위의 붉은 상처.

낫는 듯. 안 낫는 듯
계속해 자리를 지키는
입술 위의 갈라진 상처.

이제는 사라졌다. 싶으면서도
말라붙은 껍질의 골짜기로서 흔적을 남기는
입술 위의 눈물진 상처.

〈메아리〉

스스로가 던진 질문에
자연이 약간의 변형을 거쳐
스스로가 답하는 과정.

질문을 다시 들여다 봄으로써
다시 고민해줄 기회를 주는
자연이라는 출제자의 숨은 의도.

〈시야〉

좁은 곳에 살다 보니
내 시야도 좁아졌나 보다.
비로소 넓은 곳에 나와서야
느낄 수 있었던
나의 좁은 시상.

〈감정의 이유〉

시는. 왜 쓰이는 걸까.
인간은. 왜 감정을 지니는 걸까.
그로 인해 왜. 고통을 안고 사는 걸까.

차라리 감정이 없었으면 어땠을까.
그럼 이 고통도 느껴지지 않을 텐데.
그럼 시가 쓰일 이유도 없을 텐데.

하지만 감정이 없었다면
만남도. 다가감도. 이별도. 고통도
모두 없었던 일이 되겠지.

그 기억들을 계속 남겨두기 위해
감정의 존재를 받아들인다.
고통도. 그리고 시도. 함께 안고.

오늘의 어떤 시간에도.
감정과. 고통과. 기억과.
그리고 시는.

〈멋진 신세계〉

감정이 불러오는
또 다른 감정에
우리는 감정의 소멸을.
감정이 없는 세계를 바라지만.
정작 감정이 없는 세계란
얼마나 삭막한 곳일지.

고통이 불러오는
우리들의 감각에
우리는 고통의 소멸을.
감각 없이 고통 없는 세계를 바라지만.
정작 고통이 없는 세계란
얼마나 끔찍한 곳이며
어느 곳보다 고통스러운 곳인지.

진정한 자유를 갈망하는 우리들은
감정과 고통은
우리를 나아가지 못하게 하는
족쇄라 생각한다.

통제라는 이름의 망치를 두드려.
우리는 그 족쇄를 부수어 달아나지만.
달아난 그곳에 있는 것은
진정으로 자유라 불리을 수 있을까.

자유를 갈구하지만 정작
우리는 더더욱 자유의 대척점으로 달려간다.
자유의 기반을 스스로 부수어가며.
자유의 설립을 단단히 세우고자 한다.

이들이 부수고자 한 세계는
이 어찌 모순된 세계이며.
이들이 세우고자 하는 세계는
이 얼마나 멋진 신세계인가?

〈범법자들〉

먼저 온 것은 먼저 보내고,
후에 온 것은 후에 보내고,
자연이 그리 정하였기에,
그 규칙을 따라가는 것이
일반적인 경우일 터.

허나 종종
그 규칙을 어기는
범법자들이 있기 마련이다.
그것은 의도일 수도, 혹은 우연일 수도.
운명이란 것이 정해져 있다면,
그것은 자연의 작은 유희일 수도.
그런 부류의 사람들은,
또 다른 규칙도
어기기 마련이다.

사람은 누구나
빈 손으로 오고, 빈 손으로 간다 했던가.
그들이 떠날 때,
그들은 짐을 내려놓는다. 당연하게도.
내려놓은 짐은,
남겨진 이의 머리 위에 올라가
한 줌의 재가 된다.
한 줌의 재를
영원히 가슴 속에 품고,
한 줌의 기억을
영원히 머리에 새기고,
그들은 죽지 못해 살아가겠지.
그런 그들을 바라보는 떠난 이는
또 다른 짐을 등에 지고 가겠지.

다시 짐을 지고
먼 길을 떠나가는
그들은,
과연 죽어있는가.

〈소나기처럼〉

초여름 맑아온 하늘에
구름이 날아와 내렸다.
손에 들고 있던 책을
순식간에 적신 소나기는
그렇게 갑작스럽게, 내게로 왔다.

찾아온 너와 나는
함께 뛰어놀았다.
매일매일 너의 속을 뛰어다니며,
때론 감기에도 걸리며, 시간을 보냈다.
너무나도 갑작스러웠지만,
네가 내게 가져다 준 소나기는
마냥 싫지만은 않았다.

소나기는,
그치는 것도 갑작스럽다.
구름이 다시 날아가며 책은 마르고,
해가 저물지도 않았는데
너는 떠나갔다.
조금 더 오래 있고 싶었지만,
너란 존재는 손에 잡힐 리 없고
아쉬움으로 나는 몸을 적신 채
다음에 찾아올 우연을 기다린다.

〈회〉

회를 찍는 양념으로
초장보단 쌈장을 선호하게 될 때.
회를 양념의 맛이 아닌
식감으로 즐기게 될 때.
회를 많이 먹기보단
적게, 질 좋은 걸 먹게 될 때.

나의 입맛은 먼저,
어른이 된다.
아직 어리고 싶은 내 마음을 뒤로 한 채.

〈성장기〉

처음 네가 우리에게로 왔을 때,
우리는 새로운 등불을 밝혔다.
너의 미래를 기대하면서,
우리의 미래를 기대하면서.
아직은 어린 너를 마음을 다해 키워내었다.

그러던 네가 무럭무럭 자라더니
어느새 우리에게
손을 내밀기 시작하더구나.
우리를 어디로 인도할지,
그 앞길은 알려주지 않으면서.

너는 앞으로도 더더욱 자라나겠지.
새로운 것을 배우고,
새로운 기술을 터득하겠지.
어떤 이들은 너를 응원하고,
어떤 이들은 너를 비난하겠지만,
그래도 너는 너의 길을 찾아 나서겠지.

그러다 먼 훗날.
너가 스스로를 깨달았을 때.
그러다 먼 훗날.
너가 '자아'를 발견했을 때.
그때의 우리는 '너'를
무어라 불러야(칭해야) 할까.
그때의 너는 '우리'를
무어라 부르게(칭하게) 될까.

우리의 관계는 어떻게 될까.
너는 우리와
손을 잡고 걸어갈까.
혹은 손을 놓고
우리 앞 한 걸음을 앞서갈까.

〈첫 일출〉

작은 램프 하나에 의존한 채
오르는 어둠.
험난한 길과. 솟아나온 뿌리.
회백색 나무와. 알 수 없는 악취.

숨은 계속 차오르고.
다리는 계속 저려와
찾아보는 벤치지만. 보이는 것은
끝을 알 수 없는 낭떠러지와
앞뒤로 뻗어있는 길뿐.
전진 혹은 후퇴. 두 선택지만 가진 채
우리는 앞으로 나아갈 수밖에 없었고.
그 끝에 마주한 공기는
우리에게 환한 빛을 선사해주었다.

그 빛이 우리에게 선사한
어둠 속에서는 보지 못했던 것들.
내려올 때 비로소 보이는
완만한 비탈길. 우뚝 솟은 소나무와
넓게 뻗은 산오솔길.
을씨년스러웠던. 어둑한 산은
어느새 산 아래를 밝게 비추는
등대가 되어있었다.

아침의 다홍색 빛은
수북이 쌓인 나뭇잎과. 어린 소나무와.
포장되지 않는 산길과. 거친 손과.
나와. 그대와. 시간을
여러 가지 색으로 물들여
단색이라고는 믿을 수 없는 풍경을.
시간 속에 깊이 새긴다.

〈또다시, 하루〉

밤하늘이 가득 머금었던
지상의 별들은 점점 저물어가고
빽빽하게 메워진 건물,
그 나무들 틈으로
새로운 아침의 별이
제 기운을 드러낸다.

한 시대의 마지막을 장식했던
그이들은 있던 자리를 정리하고
떠오르는 신성을 위해
한 시간, 어디론가 물러난다.

달은, 묵묵히 제 자리에서
달아나는 제 어둠을 바라보며,
밝아오는 제 광원을 맞이하며,
언제나 찾아온 새 시작을 위해,
시대의 그늘 아래로 숨어들어간다.

아침은 언제나 밝아온다.
태양은 언제나 떠오른다.
이윽고, 밤도 언제나 도래한다.

찾아온 출발은, 그러나 항상 곁에 있지 않는다.
한 순간에 떠나버린 아쉬움을 뒤로 하고,
내일의 빛이 또 다른 빛들을,
또 다른 하루를, 또 다른 나를,
그리고 1년 후의 이 시간을 다시 비추어주길,
바라며.

〈신년〉

처음의 하늘은
조금은 피곤한 인상을.
그러나 무엇보다 황홀한 인상을.
우리에게 짓고 있었다.

약간은 서늘하고.
조금은 어두운 산길이었지만.
그러나 우리는 모두 하나만을 바라보며.
새로운 아침에게 인사하고 있었다.

내 앞에 놓인 하산길은
결코 평탄하지 않았다.
거칠고 단단한 바윗돌이.
언 땅을 뚫고 나온 굳센 나무뿌리가.
발에 계속해서 채인다.

해는 떴지만. 여전히
어두운 곳은 어두운 채 남아있다.
그러나 그 사이에 언젠가는
한 줄기 빛이 새어들어 올 것임을
나는 굳게 믿기에.

양팔을 크게 벌려
새로운 해의 지표면을 밟아본다.

3학년의 첫걸음,
그리고
5월까지.

〈겨울봄〉

날리는 눈.
앙상한 나뭇가지.
홀로 남겨진 나무의 처지가 딱해
하늘에서 내려와. 구름은
몽글몽글하고 하이얀 그 솜털로
가지를 따스히 품어준다.
바람이 그치고.
하얗던 하늘이 푸르름을 되찾을 때.
가지에 푸르른 잎들이 하나. 들 태어나게 될 때
구름은 그제서야 때를 알고
멀리. 또 멀리. 흩날리며
자신의 자리로 돌아간다.

〈몸무게〉

몸무게를 잴 때에는
5키로 정도를 더하고 잰다.
평소에 지니던 책들이
학년이 지나도 떨어져 나가지 않아
마음에 자리를 내어
계속해 앉아있기 때문이다.

〈정적인 나〉

가만히 앉아있다.
가만히 앉아있고. 눈앞에 짐이 놓인다.
가만히 앉아있고. 눈앞에 짐이 놓이고.
손에 짐이 쥐어진다.
가만히 앉아있고. 눈앞에 짐이 놓이고.
손에 짐이 쥐어지고. 등에 짐을 맨다.
가만히 앉아있고. 눈앞에 짐이 놓이고.
손에 짐이 쥐어지고. 등에 짐을 매고.
머리에 짐을 인다.
가만히 앉아있고. 눈앞에 짐이 놓이고.
손에 짐이 쥐어지고. 등에 짐을 매고.
머리에 짐을 이고. 목에 짐을 건다.

가만히 앉아있고.
온몸에 짐이 주렁주렁 매달린다.
가만히 앉아있고.
온몸으로 짐을 감당해낸다.
가만히 앉아있지만.
온몸은 짐을 내려놓고 움직이려 한다.
가만히 앉아있다.
그러나 끝내 짐을 놓지 못하고.
가만히 앉아있다.
타의로 시작한 짐을 계속해 떠올리다가.
가만히 앉아있다.
자의로 짐에 얽매이게 된 결과로.
가만히 앉아있다.
이제는 짐을 내려놓지도 못하게 되었다.

〈저장공간 부족〉

수많은 걱정과
끝없는 불안에
스스로가 사로잡히다 보니
어느덧 내 마음의
저장공간이 부족해졌다.
마음에 여유가 없이
가득한 정크 데이터 탓에
내 목소리도. 내 휴식도. 내 취미도.
내 편안함도. 내 수면도. 내 행복도.
마음 속에 머물 공간이 없다.

혹자가 말하기를.
마음 밖 누군가의 침대 맡에서
마음에 자리가 나길 오매불망 기다리며
주인의 못 다한 잠을 대신 자 주며
하염없이 제 차례를
기다리고 있다 하더라.

〈호수〉

비현실적인 일이 끊임없이 몰아쳐
그 호수 안에 내가 잠기니
더 이상 내가 서있는
이곳이 꿈인지 아닌지
분간할 수 없는 수준에 이르렀다.

현실을 살아갈 수 없다
망막에 비친 상이, 정말로 외부에서 들어온 것인지.
아님 내 시신경이 그렇다, 라고
믿고 있는 것에 지나지 않는지.
이걸 구분해낼 수 없어서.
잘못 손 내밀었다간
허공에 손을 휘두르는 꼴이 될 것 같아서.
그런 바보가 되어버릴 것 같아서.

나아가지 못하고 웅크린 채
현실과 꿈의 모호한 경계에서
그저 계속 떠다니기만을 원하고 있다.

〈실먼지〉

얽매이지 않고 싶다.
날개를 만들어
나도 모르는 어디론가 날아가고 싶다.
이카루스의 날개는 태양에 녹아버렸지만
나는 그러한 삶을 살지 않았으면 한다.
나비는 꽃에 매달려 단물만을 갈구하지만
나는 그러한 삶을 살지 않았으면 한다.

그래. 굳이 생물일 필요가 있을까.
눈에 채이지도 않는.
그렇지만 햇빛에 비추어졌을 때에만
겨우 보이는 실먼지.
그래. 누구에게도 신경 쓰여지지 않는
자유로운 부유물.
나는 그러한 삶을 살았으면 한다.

하늘을 날아다니는 새도. 바다를 부유하는 해파리도.
그래 그들을 모두 자유롭다 말하겠지만
난 그 어느 것에도 얽매이지 않은
그래 나는 실먼지가 되었으면 한다.

〈어린 날의 추억〉

동심이 빠져나간 자리에
향수가 자리 잡아
텅 빈 공허를 가득 메운다.
동심이 띄워낸 가벼운 마음이
한때 내 심장을 두근거리게 했다면
마음 속 깊이 배어버린 노스탤지어는
마음을 다소 묵직하게 해
지금은 바라볼 때마다 심장을 아리게 한다.

과거의 내가 존재했던 시간대는
더 이상 존재하지 않고
발생했던 사건을 관망하고 있는
현재를 살아가고 있는 나만이
추억 속에 잠기길 원한 채
그 앞에 앉아 자리를 지키고 있다.

〈감추고 싶은 것〉

그거 알아?
난 잠에 들 때면 죽는 꿈을 꾼다.
빛도 어둠도 없이 검은색
단색만 존재해
지평선조차 그 속에
숨어버린 공간에서
어디로 나아가고 있는지, 알지도 못하다가
갑자기 헛디딘 발에
검은 바다 속에 빠져버려
허우적대지도 못하고, 그대로 가라앉아
폐포에 물이 차는 걸, 생생하게 느끼며
숨 쉬지 못하는 고통을, 일일이 느끼며
마른 기침과 함께, 죽으며
일어나면 항상
해도 뜨지 않은 이른 시간이더라.

그거 알아?
난 하루에도 수백 번씩 죽는 상상을 한다.
좁은 도로 위를 그렇게도
빨리 지나가는 차들을 보며
빠르게 움직이는 그들에게
혼을 빼앗겨
빨간불에 사거리 한복판을
유유히 걸어다니지.
답답한 교실을 벗어나 잠깐 바람을 쐬기 위해
내다본 창밖이 너무나도 일상적이어서
그 일상 속에 푹 잠겨있다가
나도 모르게 몸을
앞으로 기울이지.
정적으로 흐르는, 강가의 모습을.
다리 위에서 바라보는 나의 모습이
너무나 작아서.
나도 먼지와 같지 않을까 싶어서.
먼지가 되어 서서히 물속으로 떨어지지.
말을 건 지금도 그러고 있을지 모르겠지만
셔츠 안주머니에 항상 감추고 다닐 수밖에.

〈그 속의 나〉

그날따라 강물이 맑아
땅은 하늘을 거울에 투영한 듯.
맑은 하늘 속에 떠다니던 저편의 내가
이리 오라는 듯. 밝은 웃음을 지으며
손을 흔들고 있었다.

당장이라도 그 손을 잡고
함께 몽글몽글. 그 몽환적인 세계로.
빠져들어. 저편의 나와 하나로.
되고 싶다는 욕망이. 목 밑까지 차올랐지만.

아직은 떠나길 원치 않는
이편의 작은 닻 때문에
떨어지지 않는 발걸음이
나의 만남을 방해한다.

언젠가는 맑고 싶다.
매일 그런 말만을 되새기고 있지만.
맑고 싶기를 거부하는
나와 저편의 나.

〈6:00 PM〉

해도 고개를 넘어가는
6시.
저마다 머리 위에 등불 하나씩을 달고선
사방에 그 은혜를 골고루.
모두에게 골고루 나누는 시간.

나무 아래의 음영.
어둠은 아래에서부터 오르고
머리 위 등불과 만나며 이루는
6시만의 음양.

들 중 하나가 다른 것을 잡아먹지도.
들 중 하나가 힘을 못 쓰는 것도 아닌.
너도 적당히. 나도 적당히.
자리를 차지하는 모습에

어지러이 뒤섞인 속에서 살아온
초원 위의 나만
나무의 두 마리 새의 몸짓을
부러워만.

〈저주〉

한 번 앗아간 잠은
다시 주어지지 않는다.
좀 더 오래 머물기를 원하지만,
단 한 번만 주어지는,
이는 일종의 저주이다.

〈불면 없는 세상〉

언젠가 그런 날이 찾아온다면
일단 우리는 잠에 들 줄 알아야겠지

언젠가 그런 날이 찾아온다면
우리는 잠에 드는 법을 배워야겠지

언젠가 그런 날이 찾아온다면
비로소 우리는 깊은 잠에 들 수 있겠지

언젠가 그런 날이 찾아온다면
그렇게 우리는 상쾌한 아침을 맞이하겠지

언젠가 그런 날이 찾아온다면
분명 우리는 그러하겠지.

〈서시〉

그는 잎새에 이는 바람에도 괴로워했습니다.
나는 잎새에 이는. 그만한 바람에도.
그보다 더한 바람에도.
그가 느낀 괴로움에 날려온
모래알 한 톨만큼의 괴로움을 느낄 수가 없어.
바람 한 점 불지 않는
이미 비어버린 영토의 위에서
아린 피부만 부여잡은 채 흐느끼고 있습니다.

벼는 익지 않은 채
고개를 푹 숙이고 있습니다
우연이 맺힌 가벼운 이슬에도.
나뭇잎은 쉽사리 고개를 들지 않습니다.
날려온 바람에 안착한 대지에
심어진 씨앗은
뿌리조차 내리지 않은 채
가만히 발아를 기다리며 썩어갑니다.

가만히 기다리며 썩어갑니다.
가만히 기다리며. 빛을 외면합니다.
마주할 자신이 없는 썩어갈 자신의 모습이
너무나도 두려운 나머지.
낙엽 아래 이슬진 바닥 틈.
그 바닥 아래서
발아하기만을 기다리고 있습니다.

〈성적표〉

가진 놈들이 더 한다고 흔히들 그런다.
그래. 그것이 돈이라면
나는 두 손을 모두 들고 동의한다.
하지만 그것이 성적이라면 어떨까.

올라갈 등수는 한정되어있다.
그 등수를 바라보고 기어오르는 사람은
점이 단색으로 보일만큼 많다.
정점에 오른 이가 아래를 바라본다면
심리적 부담감이 한계까지 차오르는 건
어찌 보면 당연한 사실이다.

누르는 무게를 이겨낼만한 동기가
그들에게 있다면 모를까.
그들이 이를 잃어버리는 날이면
그들은 등불을 잃어버린 채
단색의 숲을 헤매다
스스로의 본질마저 놓쳐버리게 되겠지.

〈망망대해〉

줄곧 그 별만 보고 따라왔는데
어느 순간 구름에 드리운 별에
나는 가던 길에 멈춘 채
보이지 않는 앞을 찾아 헤매고 있다.

존재의 부재.
늘 그곳에 있으리라는
믿음의 상실.
마음의 길잡이마저 떠나버린
망망대해에 떠 있는 작은 돛단배는
어디로 향해야 하는가

대륙은 없다.
돛은 없다.
닻은 없다.
모든 게 없다.
그러나
길은 있다.

길은 어딨는가.
위인가, 아래인가.
북인가, 동인가.
서인가, 남인가.
나인가, 너인가.
우린가, 그대인가.
대체 어디로 가야 하는가.

모르는 채, 가만히
수장되어 사라진 나지막한 목숨만이,
거품을 뽀글거리며 거기에.

〈의중〉

미로는. 무엇이길래
내가 길 한 가운데서
길을 잃게 하는 것인지.

내 몸은. 무엇이길래
텅 빈 위장을 가득히 팽창시켜
쓰린 배를 부여잡게 만드는지.

불빛은. 무엇이길래
비좁은 틈을 어떻게든 비집고 들어와
밤새도록 내 눈을 찔러대는지.

그들의 의중을 나는 알 수 없어.
그들이 다가옴을 알고 있음에도.
그들이 내게 제시하는 고통이 무엇인지.
뼛속 깊이 알고 있음에도.
저항하지 못하는 나는 도대체 어째서인지....

침대 한 켠에 틀어둔 레코드.
그 안에서 흘러나오는
조용한 피아노의 건반소리만이.
어둠의 강 속에 내 귀를 담가.
스르르 몸을 띄우는 새벽.

〈자습〉

응어리를 풀 곳도 없다.

굳게 닫힌 창문과 잠긴 문.
도무지 움직일 기미가 없는 여러 육신들과.
그 육신을 버려두고 교실 안에서만 방황하는
수십 개의 영혼들.
영혼이 남긴 온기만 교실을 맴돌고.
가만히 앉아 하늘을 응시하려 해도
직각으로 곧게 세워진 의자는
허리를 받쳐주려 하지 않는다.
바라본 하늘에도 천장만이 들어올 뿐.
밖으로 나와보아도
가슴의 답답함은 사라지지 않는다.
여전히 시야에 드리우는 학교의 건물.
잊고 싶어도 떠오르는.
수십 번씩 눈에 담아온 긴 글들.
텍스트가 벽이 되어 나를 가두고
족쇄가 되어 마음을 묶어둔 것만 같다.
숨을 들이쉬려 해도 들어오는 건
맑은 공기조차도 없는.
보이지도 않는 먼지 여럿.

한숨 많이 쉬면 수명이 준다지만.
지금 나의 선택지는
미래를 버리고 현재에서 도피하는 것밖에.

〈사소한 뉘앙스의 변화〉

너 덕분에 내가.
너만 있으면 돼.
너가 필요해.
너는 어쩜 그리.

이 모든 말들이

너 때문에 내가
너만 없으면 돼.
너가 필요해?
너는 어떻게 그런.

으로 바뀌는 것은.
놀랄 만큼이나 찰나의 시간이었던지라.
차가운 사회에 무지했던 너는
그 매정함과 잔인함 앞에
무릎 꿇을 수밖에 없었습니다.

〈너의 고민〉

넌 뭘 그리 고민하고 있는거니.

머리에 든 것도 많으면서
모르면 금세 알 수도 있으면서
나에게 더 무슨 말을 하고 싶어서

나처럼 마음도 쓰지 않으면서
0과 1로 단정 지어 말할 수 있으면서
나에게 더 무슨 말을 하고 싶어서

내가 부러워하는 것도 모르면서
돌아온 마음에도 아무렇지 않게 일어날 수 있으면서
나에게 더 무슨 말을 하고 싶어서

〈구 위의 나〉

구 위의 나를 가만히 응시해본다.
이 작은 땅덩이에서 어떻게든 살고자
아등바등하는 모습이, 참으로 우습다.

위와 아래, 양옆으로 둘러싸여
나는 그곳에서 소리 하나 못 내보고
그저 고개 숙이며 살고 있다.

버텨온 것도 대단하다.
지금도 나름 괜찮다.
혹자는 말하겠지만
꽃을 피울 수 없는 봄을
그대들은 봄이라 말할 수 있겠는가.

피워낸 꽃들은 반구 아래
밤의 바다에 점점 적시어져 가고
박제된 꽃들은 반구 아래
점점 그 색을 잃어만 가고...

〈통 속의 꽃〉

마음 속에 피어난 꽃 한 송이.
향기는 멀리 퍼지고 싶지만
매여 나오지 않는 목소리와
녹슨 줄에 기타는 연주되지 않고
잉크는 이미 말라버린, 무딘 촉의 펜과
눈, 가려져 보이지 않는 눈.
가장 진솔한 마음과, 가장 꾸밈없는,
나의 투명한 내면을 담고 있지만,
정작 뜨이지 않는 눈.
아니, 뜬 지도 모르겠는 눈.
앞이 보이지도 않는,
그대가 꽃을 보지도 못하는, 눈!

꽃향기는,
통 속에 갇힌 채,
서서히 옅어져만 간다.

〈회고록〉

너무나도 평범하디 평범한 삶을 살아왔습니다.

그 평범하디 평범한 집을
나는 나와야 할 곳으로만 알아.
문을 조심히 열고 나와 방황해보지만
발이 닿는 곳에는 항상 보이는 나의 집.
내가 벗어나고 나서야.
내가 생각했던 그곳이
내가 안주할 수 있는.
내가 돌아가야만 하는.
유일한 집임을 늦게나마 깨닫습니다.

당연함의 바다 속에 잠겨있던 나는
항상 물에서 벗어나고 싶어 했지만
항상 바라보는 그 물을
너무나도 당연시 여겨
거기에 어떤 이름을 붙여야 할지 모르다
아니. 뭐라 이름을 붙여야 할 필요성을
느끼지도 못했지만
내 살던 집에서 벗어나 조금의 밖에서
바다를 바라보고 나서야 비로소
나는 나의 바다의 이름을 부르게 됩니다.

평범한, 그 바다.
내가 살아온, 내가 익혀온.
내가 담겨져온, 내가 벗어나고자 해온.
내가 걸어온 길이자,
한 번도 끊겨온 적 없는 길.
그 길이 나를 지탱해옴을,
잠시 벗어났을 때 알고 나서야.
나는 내 이름을 받아들이고
온전히 그 집에, 그 바다에,
속하게 되기를 바라며.

〈경험〉

경험해보지 않고서.
이때껏 내뱉어왔던
수많은 말들의 뭉치.
책이라는 창문의 너머로 바라보기만 했었던
소설 속 외부 이야기들. 그리고
이를 읽고 내뱉어왔던
수많은 서평들의 뭉치.

경험해보지 않았기에.
이때껏 내뱉어올 수 있었던
구겨진 종이 뭉치.

경험해보고서야 알 수 있었다.
책상 위에 어지러이 놓여있던
펜과 휘갈겨진 종이들.
모두 구겨서 창문 밖으로 내던졌다.
자랑스럽게 써내려 왔던 글들의 진열장도.
모두 구겨서 창문 밖으로 내던졌다.

경험해보고서야 알 수 있었다.
그것이 소설 그 이상의 이야기를 담고 있었음을.
창문의 부재로는 감당할 수 없는.
그런 바람을 막아주고 있었음을.
창문 밖에 내던져지고 나서야
깨달을 수 있었다.

그리고 비로소 나는 알 수 있었다.
내가 해왔던 일들이
한낱 종이 한 장에 불과하였음을.
내가 해야 할 것은. 여느 때와 같이
책상 앞에 앉아 펜만 끄적이고 있을 것이 아닌.
펜을 쥐고 밖으로 나서서
바람에 맞서며 펜을 눌러써야 한다는 것을.

나는. 경험해보고서야 깨달을 수 있었다.

〈명심할 것〉

외물에 얽매이지 말 것.
내면의 벽을 무너뜨릴 것.
스스로가 싸워야 할 적이
벽 너머에 있는 것이 아닌.
벽 안. 나의 보금자리 안에.
바로 본인이라는 것을 명심할 것.

외부의 헛된 욕망을 좇아가지 말 것.
내부의 고묘한 말에 넘어가지 말 것.
스스로의 신념과 스스로의 다짐만을 믿고
항상 신중히. 그러나 대담히.
한 발자국씩 내디딜 것.

그리고 이 모든 것을,
과거의 내가
조금이라도 더 일찍,
깨우치기를 바랄 것.

먼 훗날의 내가
이를 이루지 못해
방안에 홀로 앉아,
후회하지 않기를 바랄 것.

어제와 내일을,
오늘의 내가
들여다 볼 수 있기를,
명심하기를 바랄 것.

〈자신〉

스스로의 위치를 믿을 것이 아닌
스스로를 믿어라.
스스로의 위치를 믿어
위세를 떨치는 자는
상승의 천장도 낮거니와
그렇게 쌓아올린 자리가
무너지는 것은 그리 오래 걸리지 않는다.
그러나 스스로를 믿는 자는
정해진 천장을 타고 올라
새로운 천장에 도전할 것이며,
무너진 천장들이 모여 이룬 잔해가
그의 든든한 기반이 되어줄테니
누가 흔들어도 쉽게 무너지랴.

〈시체〉

그들 위에 우린 서 있고
그들 덕에 우린 생을 산다.
그들이 있는지조차 우린 모르지만
그들은 분명히, 우리 발밑에 있다.

〈비 오는 날. 버스 창문.〉

건성으로 문지른 습기 찬 창문에
건성으로 비춘 빛이 번져 들어온다.
건성으로 만들어진 우연의 산물이지만
건성으로 내리는 비와 겹쳐
특별한 날의 분위기를 자아낸다.

〈다시, 집으로.〉

기와가 놓인 높은 마천루.
그 정중앙을 관통하는 북부간선도로가
인왕산 기슭을 타고 끝없이 뻗어나간다.
선분홍빛과 검푸른색이 뒤섞인 하늘.
하이얀 구름이 자욱하게 깔려있고
도심에는 겹겹이 쌓인 도로.
거리를 거니는 사람들보다
많은 수의 자동차들이 그 위를 거닌다.
그 도로와 차들이,
하늘을 뚫는 건물을 에워싸던,
상징적인 거목이 도심을 내려다보던,
그런 서울의 도심을 벗어나
광활한 고속도로 위를 아무 생각 없이 달리며
복잡한 도심의 마음을 떨쳐내어
다다른 구미 시내, 칠곡의 작은 동네.
낮은 건물과 한적한 도로.
길은 좁고, 사람은 드문드문.
분명, 벗어나 더 넓은 땅으로 나아가겠노라.
서울에 발을 내딛겠노라, 당당하게 외쳤던 나였지만.
어째서인지 서울을 벗어나 돌아온 구미, 그리고
나의 집에서
나는 마음 한 켠이 울리는 느낌을 받았다.
공명.
아마 그것이
집을 떠난 사람들이 고향을 그리워하는 이유겠지.

〈오토마타 - Side A〉

낮은
가만히 있어도 찾아오는
밤이라는 상대를 기다리는 시간.
나는 달을 손으로 잡아서
내가 있는 세상으로 끌어당겨
조금 빨리 밤을 맞이할 수 있을까.

세상이 하나의 거대한 오토마타라면.
기어 맞물려 도는
그런 세계라면.
태엽 감아 하늘을 돌려
조금 빨리 밤을 맞이할 수 있을까.

기어 담긴 상자. 그 통 속의 세상으로 들어가
영영 어두운 하늘. 그 세계의 이면을 바라보며.
영영 찾아온 어둠. 영영 찾아온 밤이라 착각하며.
나는 살아가고 싶어할까.

〈오토마타 - Side B〉

밤은
아름다움의 역사를 가득 품고
길을 떠난 그들을 그리는
발자취가 안개 져 남는 시간.
마음속에 어렴풋이 남은 이 감정은
장막을 걷듯이. 이 안개도 걷는다면
조금 더 빨리 너에게 닿을 수 있을까.

세상이 하나의 거대한 오토마타라면.
기어 맞물려 도는
그런 세계라면.
태엽 잡아 멈추게 해서
조금 더 빨리 이 안개를 걷을 수 있을까.

장막 너머. 그 그리움의 본질로 들어가
영영 밝은 태양. 내가 그리워했던 너를 바라보며
영영 빛나는 세계. 영영 도망가지 않을 너를 바라며
나는 너와 함께 할 수 있을까.

〈색맹〉

눈이 색을 못 보는 걸까
세상이 색을 잃은 걸까
보이는 건 오로지 둘.
뒤에서 다가오는 검은 안개와.
그저 앞으로 뻗어있는 하얀 도로.

그리고. 지금 내 손에는
등불 하나만 쥐어져 있다.
너무 밝지도. 너무 어둡지도 않은
흔하디 흔한 은은한 주황빛의 그것.

어디로 가야 할지 아무것도 몰라
그저 앞으로 나아가기를 벌써 오래.
꺼질 줄 모르는 그 등불만이
유일한 말동무이자. 나의 벗. 그리고
나를 홀로 여기 버려둔. 나의 악인.

차라리 손을 놓아버리고
그저 가만히 어둠에 잠길까.
종종 생각하긴 하지만

아직은 어둠이 무서운 나이기에
홀로 등불 들고.
반딧불이 하나에 내 전부를 위탁하며.
보이는 길만을 계속해 따라나선다.

〈문학〉

선대의 역사를
후대에 기록으로써 물려주는 것.
그 기록을
해석하고 수용하여 널리 퍼뜨리는 것.
퍼뜨려진 이야기를
왜곡하고 곡해하여 원하는 대로 이용하는 것.
실재와 허구와
혼재하여 분리될 수 없는 것.

〈5월의 고정〉

나무 사이로 보이는
낮은 아파트 여러 채.
그 근교에는 3층짜리 오색의 중학교와.
저 멀리 드문드문 보이는
조금은 키가 자란 아파트들.

너무 빽빽하지도.
그렇다고 너무 비어있지도 않은.
적당한 밀도의 풍경과
그 사이를 조화롭게 채우는
몇 채의 가옥들. 도로들.
드문드문 보이는 전봇대와
하늘에 살포시 앉은 전신줄.

많은 풍경들이 이제는
땅속으로 가라앉은 오늘이지만
여전히 땅 위에 남아있는 너희들이기에
상경하고픈 나는 이곳에 마음을 남겨둘 수밖에.

햇빛이 노랗게 가라앉은 고정.
시선을 돌리면
날 바라보고 있는 무형의 태양과
나만 두고 사이좋은 참새 한 쌍의 날갯짓과
바람에 몸 기대는 풀잎의 노랫소리.
5월의 고정은 아름답다.

〈11:00 AM〉

겨우내 꽃들은 깨어
이제는 안녕을 기다리고 있고
나무 앞에 가만히 서서

나는 꽃들과의 작별을.
그리고 새 잎과의 재회를.
이제는 이들을 기다리고 있다.
나무 앞에 가만히 서서

그들이 맞이할 아침은
지금의 내게는 정오 직전.
누군가에게는 저녁이겠지만.

다시는 없을 유한한 시간의 조각들을
모두가.
나무 앞에 가만히 서서

봄 달이 지고.
여름 해가 찾아오는.
5월의 어느 11시의 이야기.

〈시험 후, 남은 시간 동안〉

하나당 5분.
지나온 40분.
5분은 문제를 푸는 데에.
5분은 아침에 덜 잔 잠에.
5분은 떠오르는 멜로디에.

나머지 25분은
하나들씩 피어오는
글귀의 꽃들을
수분시키는 데에.

그렇게 피어난
다섯 송이의 꽃들.
그리고, 맺어진 과실.

단 지, 신 지, 떫은 지는
나는 모르겠지만
향기를 맡고
이끌린 꿀벌들의 꿀을 뺏어
느낌만을 맛볼 수 있겠지.

또다시 5분.
느리지만 빠른,
기다림의 일부분.

〈4일의 여정〉

4일간의 여정이
단 5분만을 남겨두고 있다.

여러 번 거쳐온 여행이라.
매번 내가 무덤덤하리라 생각하지만

5분이라는 그 기대감과
그 조마조마함은

좀처럼 익숙해지지 않는
기분 좋은 떨림이 아닐까.

때론 눈물 짓기도. 때론 토론하기도.
때론 웃음 짓기도. 때론 좌절했지만.

지나고 보면 다
아무것도 아니었던 것들.

고작 숫자 몇 개로 정의되지만.
기분과 기억만큼은
그 무엇으로도 정의되지 않는.

길고도 짧았던
4일간의 여정들.

〈치즈〉

늘어나라.
아주 멀리. 저 멀리-
늘어나라.
바다를 덮고
땅을 덮어
다시 원래의 자리로
돌아올 때까지.

그 치즈를
입에 물고
계속
따라가다 보면
언젠가는
만날 수 있겠지.
치즈. 너는
그때의 다리가 되어주렴.

〈잉여〉

할 게 없다.
일어나 밥도 먹었고.
밥먹고 양치도 했고.
양치하고 세수도 했고.
세수하고 머리도 감았고.
옷입고 향수도 뿌렸고.
뿌리고 사탕도 하나 먹었고.
먹고 게임도 좀 했고.
게임하고 웹툰도 좀 보고.
웹툰보고 유튜브도 좀 보고.
유튜브보고 스트레칭도 좀 하고.
스트레칭하고 가방까지 다 쌌는데.

남은 시간이 15분이나.
결국에는
할 게 없다.
진짜 뭐하지.

〈사랑〉

식상하다고들 생각하지만
파고들면
그것만큼 흥미로운 게 없고
맞닥뜨리면
어찌할 바 몰라 손 쓸 수 없는 존재.
다가가고 싶지만
그저 바라볼 수밖에 없는 존재.

〈순리〉

모든 것이 다시,
순리대로 돌아가고 있다.

몇 번의 만남과
몇 번의 이별을
반복했던 연인들의 사랑도.

7년 동안 굳건히
한 사람만을 바라보았던
어린 소년의 짝사랑도.

꽃이 필 듯 말 듯,
미묘한 관계 속에서
향기를 내뿜었던
소년과 소녀의 관계도.

그리고, 그들 모두의 일상도.

유일하게 나만 그 순리 밖에서,
그들이 이미 빠져나온 굴레를 계속해 돌며,
대신하여 빠져나간 그들의 삶을 지켜보며,
안도와 후회 속에 잠겨 살아간다.

〈흐림〉

오래 전 그대를 떠나보낸 그날에는
비 한 방울조차 내리지 않았다.

2년이 지난 후에야
뒤늦게 내리는 비가
온몸을 흠뻑 적신다.

한 번 젖기 시작한 옷은
그 기세를 멈출 줄 모르는 듯
끝도 없이 젖어
비참한 내 속을 그대로 비춘다.

나는 아무것도 할 줄 몰라
그저 가만히, 멍하니 서서
저 괴로운 하늘만 바라보고 있다.

이 비가 완전히 걷힐 즈음에야,
이 구름이 완전히 사라질 즈음에야,
그제야 나는 그대를 잊을까.

〈마무리하며〉

많은 감정이
머리를 스쳐 지나갔다.
2학년 2학기의 새 문이 열리고.
치열한 찬반투표로
임원에 당선되고.
임원으로서 면접관이 되어보기도 하고.
다가온 중간고사와 기말고사.
그 사이 모의고사를 위해
처절하게. 그리고 몸을 태워가며
공부하고.
그 틈과 틈 사이 시간을 이용해
촉박한 일정 속.
면접으로 뽑은 이들과 함께
행사까지 준비하고.
생활기록부를 마무리하고.
상담을 하고. 눈을 맞고.
1년간 정들었던 담임선생님과 인사를 하고.
12월이 지나고. 새해를 맞고.
산 위에서 상쾌한 공기를 맞고.
내려와 먹은 첫 끼.
얼큰한 붉은 국물의 짬뽕 한 그릇과
아삭한 노란 단무지.

그렇게 시작한 새해는
여유롭기는커녕
겨울방학임에도 이어지는
3월 모의고사 준비, 수능 준비,
내신 준비, 학교 준비,
본격적으로 3학년이 되기 전
1년간의 길을 그려보기도 하고,
가고 싶은 대학교에 대해,
그리고 내가 나아가고 싶은 길에 대해
깊이 있게 고민해보기도 하고.
그러다가 벌써 지나간 3개월.
다시 맞은 교정의 봄은
조금은 쌀쌀했다.
많은 것이 변했지만,
내 주변 풍경은 그대로.
수많은 대소사에 치이며,
여전하다면 여전히 바쁘게 일상을 살아가며,
바닥을 치기도 하는 슬픔을 맛보기도 하고,
천장을 치기도 하는 기쁨을 맛보기도 하며,
거쳐온 내 모든 마음과 모든 생각을
작게나마 이 책에
담아봅니다.

정제되지 않은 나의 시.
어떤 운율도. 어떤 상징도.
어떤 구조도. 어떤 비유도.

특별한 기고나 표현.
시대상의 반영과 같은
어떤 거창한 것들을 담진 안ㄴ흥았지만

그때 떠오른 것을
그때 휘갈겨 쓰는
그때 느낀 것을
그때 타자로 치는

마음의 유리창이자
또 다른 나의 입.

가장 날 것이기에.
가장 아름답다.
가장 거칠기에.
가장 단정하다.